LA GRAND-MÈRE AUX OISEAUX

L'auteur

Georges Coulonges écrit alternativement pour les adultes
et les enfants. « Ce qu'un homme peut faire de mieux,
c'est faire rire les enfants », pense-t-il. Avec ses histoires
sur les grands-pères et les grands-mères – écrites en hommage
à ses petits-enfants –, il atteint pleinement son but.

Du même auteur, dans la même collection :

Grand-père est un fameux berger
On demande grand-père gentil et connaissant des trucs
Ma grand-mère est formidable
Une grand-mère en chocolat

L'illustrateur

Après des études aux Beaux-Arts, Mérel a enseigné le dessin,
puis il s'est lancé dans l'illustration de livres pour enfants.
Il en a publié plus de 150… Il collabore régulièrement avec la presse
pour la jeunesse française et étrangère. Il adore les grands voyages
à l'autre bout du monde… ou les expéditions au coin de sa vie…

Georges COULONGES

La grand-mère aux oiseaux

Illustrations de Mérel

Publié pour la première fois en 1993
aux Éditions La Farandole

Loi n° 49-956 du 16 juillet 1949 sur les publications
destinées à la jeunesse : septembre 1996.

ISBN 2-266-14234-8

Pour Caroline

Le docteur Brune est un bon docteur. Lorsque je reviendrai à la maison, je ferai la bise au docteur Brune. Aujourd'hui, j'ai écrit à maman et je lui demande de féliciter le docteur Brune pour moi.

Ces phrases sont écrites sur ce qu'on appelle un cahier d'écolier et qui, dans le cas présent, devrait s'appeler un cahier d'écolière.

En ce moment, pourtant, Brigitte ne va pas à l'école.

Cet hiver, elle s'est cassé la jambe. « Bêtement », ont dit les voisins. Cela a vexé Brigitte : elle se demande s'il existe vraiment des façons intelligentes de se casser la jambe. En tout cas, comme avant Noël elle avait eu deux bronchites, le docteur Brune a dit :

— Pendant qu'elle a son plâtre, elle serait aussi bien à la campagne.

Depuis, Brigitte est là. Dans cette ferme au milieu de la campagne. Avec sa grand-mère qui vit toute seule dans la ferme. Elle l'appelle Mamy. Le chat s'appelle Pilou. Il y a dans la cour et autour du jardin des herbes plates, des genévriers, des buis verts et roux, des petits chênes, un laurier géant envahi par des ronces avec, depuis deux jours — et ça c'est extraordinaire —, la neige qui s'en va jusqu'au bout de la terre en habillant les buis, les genévriers et les chênes pour en faire des centaines d'arbres de Noël.

« Oh ! oui ! le docteur Brune est un bon docteur ! » se répète Brigitte en caressant Pilou et en regardant par la fenêtre le grand ciel gris sur les grands prés blancs. Dans la chaleur de la cuisine, sa jambe allongée, il lui semble qu'elle respire l'hiver.

Bien sûr, là où elle habite il y a aussi de la neige parfois mais, comme dans toutes les banlieues, c'est une neige qui vite s'écrase sous le passage des gens et des voitures.

Ici, nul ne salit la neige. Sauf les pattes légères de la nuit qui, au matin, accomplissent cette merveille : la neige parle. Les

marques minuscules de quatre doigts écarquillés disent : « Petit oiseau est passé par là. » D'autres, plus accentuées, s'encadrent entre deux sillons tracés à la pointe des ailes :

un merle ou un geai ont marché avec peine, s'enfonçant et comme traînant leurs béquilles. Des empreintes inégales, plus profondes ici et là, disent : « Tiens ! Le lièvre a fait un bond ! »

Ce qui, aujourd'hui, intrigue vraiment Brigitte ce sont ces trous qui viennent jusqu'à la maison et repartent à la queue leu leu vers le bois de Beyssède. Les animaux à deux pattes sont rares pourtant !

— Ne cherche pas, ma chérie, dit la grand-mère : c'est le renard qui est venu.

— Le renard ? Tu veux rire ?

Brigitte sait bien que le renard a quatre pattes.

La grand-mère approuve :

— Il a quatre pattes, mais il pose toujours ses pattes arrière au même endroit que ses pattes avant. C'est pour ça que tu ne vois que deux trous. L'un derrière l'autre. Ou presque.

Brigitte est admirative : comment peut-on placer ses pieds toujours dans les mêmes pas ? Sans jamais se tromper ! Car on le voit bien dans la neige en suivant le pointillé jusqu'au bois de Beyssède : le renard n'a pas fait une erreur. Dès lors, ce renard qu'elle voyait si méchant, Brigitte l'envisage plutôt comme une espèce de danseur sur fil de fer, un funambule qui va sur la neige sans l'aide d'un balancier et, œil vif et museau pointu, proclame à la ronde : « Hé ! les lapins ! Admirez le travail et ralliez-vous à mon panache roux ! »

Pendant ces rêveries, dehors, grand-mère est montée sur le banc de pierre. Elle dégage la neige de la planchette qu'elle a placée avant-hier sur la branche du tilleul. Elle y pose les grains de blé, d'avoine, les pépins de melon.

— Où les achètes-tu, les pépins de melon, Mamy ? On en vend ici ?

— Mais… je ne les achète pas, répond la grand-mère. À la saison, en septembre, je mange des melons… comme tout le monde… et je fais sécher les graines.

Brigitte est surprise, contente, très fière d'avoir une telle grand-mère. Une femme un peu costaud de bras, de manières, de poitrine ; elle parle fort et porte un rude tablier. Et voilà que, lorsqu'à l'automne M. Paraire a moissonné son champ, cette grand-mère bourrue glane les épis tombés au sol ; elle ramasse des graines de chardons ; elle a, dans

une grande boîte en fer, des pépins de poires, de pommes, des baies noires de genévriers qu'elle a cueillies elle-même pour l'hiver des oiseaux.

Aussi, alors que partout ailleurs le pinson se cache dans ses plumes, que le verdier tremble et semble claquer des dents, que la pie bavarde se tait comme vexée d'avoir si faim, il y a devant chez la grand-mère un spectacle étonnant : un arbre fleuri d'oiseaux ; un tilleul que, s'il n'avait perdu ses feuilles, on dirait printanier tant il s'anime, frétille dans le froufroutement d'une mésange comblée, d'un moineau qui volette de branche en branche, pique une graine, va, part, se pose et, regardant à droite et à gauche, semble toujours dire au-dessus de son ventre rebondi :

« Hé ! Les copains ! J'ai trouvé la cantine ! »

La neige est restée plusieurs jours et Brigitte ne s'est jamais lassée de voir cette fête : les oiseaux picoraient à tour de rôle, se bousculant, piaillant, gloutons, mal élevés. D'autres, au contraire, après avoir apprécié le lard qui leur mettra de la graisse sous les plumes, montraient leur bonne éducation en s'essuyant le bec le long de la planchette. Les

plus désastreux mettaient les pieds dans le plat : ils montaient sur le lard et, le prenant pour un paillasson, s'y essuyaient les pattes ! Le gras les protégerait du froid : avec ça, on n'a pas d'engelures !

Parfois, la grand-mère intervenait. Par exemple quand un gourmet imbécile prétendait imposer ses goûts à la communauté : sous prétexte qu'il n'aimait pas les pépins de melons, il les expédiait au loin d'une patte énergique ; on les voyait s'engloutir sous la neige. Après avoir bien déjeuné, un rouge-gorge prétentieux affirma que le restaurant lui appartenait. Il voulut en interdire l'entrée aux autres et c'est incroyable quand on est si petit de montrer tant de toupet. Il relevait la queue, frémissait de partout ; il gonflait démesurément le rouge de son plastron : on aurait dit qu'il voulait en faire un panneau SENS INTERDIT.

Ah ! Oui ! Elle en a vu des choses, Brigitte, en quelques jours !... La plus terrible étant ce rat venu d'on ne sait où et qui, sans qu'on s'en aperçoive, était monté le long du tronc. Sa longue queue pendante, il allait sur la branche, aplati, le museau tendu vers les graines et peut-être vers ceux qui comptaient les manger. La grand-mère ouvrit la fenêtre et tapa dans ses mains. D'un coup, les oiseaux s'envolèrent mais le rat qu'on avait voulu effrayer, le rat resta un moment sur la branche, arrêté dans son mouvement, son œil vif interrogeant le danger : par ce temps de froidure pour tous, peut-être l'autoriserait-on lui aussi à déguster un petit quelque chose qui lui ferait chaud au ventre, un grain de blé par exemple...

Au déjeuner, ces aventures animaient les conversations de la grand-mère et de la petite-fille.

Le soir, quand on ne regardait pas la télévision, Pilou dormait en rond sur la pierre

chaude de la cheminée et Mamy racontait des souvenirs. Elle disait que, tant que l'homme ne bouge pas, l'oiseau n'a pas peur. Un jour qu'il s'était assis pour se reposer dans le bois de Cazals, un chasseur, M. Périer, s'était aperçu que, placidement perchée sur sa branche, une pie le regardait. Intriguée peut-être de découvrir là un bonhomme qui n'y était pas les autres jours, elle avait appelé un témoin. Une autre pie était arrivée et jacassant, tour à tour regardant l'intrus et se regardant entre elles, les deux commères avaient l'air de dire : « Mais qu'est-ce qu'il fait ici celui-là ? » La question intéressait sans doute le voisinage car un geai venait aux nouvelles, suivi d'un merle ; bientôt, sur les gradins alentour, une dizaine de spectateurs en habits noirs et croupions blancs, à plumes rousses ou à ailes bleues, une dizaine de spectateurs contemplaient au sol l'objet non identifié...

La surprise n'était pas finie : pour montrer jusqu'où peut aller l'effronterie, un verdier en tenue de garde forestier était venu se poser... sur le fusil de M. Périer. Or il est assez inhabituel pour un chasseur de se retrouver avec un oiseau sur son fusil ! M. Périer ne savait plus quoi faire. Cela plaisait au garde

forestier qui, de temps à autre, battait des ailes pour exhiber ses galons jaunes. Le public était ravi : on n'ose pas dire qu'il applaudissait, mais on affirme que, en langue pie ou en dialecte merle, il commentait favorablement le spectacle. Las ! Un faux mouvement de M. Périer avait provoqué le déséquilibre du verdier qui, très fâché, s'envolant brusquement, avait entraîné tous les spectateurs à sa suite. Oubliant sa propre curiosité, le geai coléreux dominait les froufrous et les cris en apostrophant la débandade : « Ouais ! Ouais ! Je vous l'avais dit : Ouais ! Ouais ! Avec les hommes on ne peut pas jouer — ouêh — ouêh ! »

Ces histoires vraies ravissaient Brigitte.

Elle embrassait sa Mamy, dorlotait un peu le chat puis, s'appuyant sur sa béquille, elle montait se coucher.

Sa nuit était peuplée de merles et de pinsons, de pies bavardes, d'un rouge-gorge propriétaire et d'un verdier un peu espiègle que, le matin, elle était toute surprise de ne pas trouver perché au bout de sa jambe de plâtre.

C'est ce qui lui donna l'idée d'avoir un oiseau à elle.

Elle avait vu dans la grange, suspendue à une poutre, une cage autour de laquelle, depuis longtemps, les araignées tissaient des toiles grises, épaisses et sales comme des lambeaux de chiffons.

Brigitte pensait qu'un bon jet d'eau la remettrait à neuf.

La grand-mère se rebiffa :

— Il n'est pas question d'avoir des oiseaux dans la maison.

Brigitte fit la cajoleuse :

— Dans la cuisine, ils auraient chaud. Nous leur donnerions à manger. Ils seraient bien.

— Les oiseaux sont bien dans les arbres ! Voilà où ils sont bien : dans le ciel, quand ils volent.

— Mais il fait froid !

— Il ne fera pas toujours froid.

Et comme Brigitte insistait, la grand-mère lui lança :

— N'essaie pas de m'attendrir. Tu es une égoïste… comme les autres ; ça n'est pas pour lui que tu veux un oiseau : c'est pour toi. Son bonheur, tu t'en fiches : c'est le tien qui t'intéresse. Et d'ailleurs, ce n'est pas un oiseau que tu veux : c'est un jouet. Un jouet qui chante !

Brigitte était affreusement vexée. Elle prit ses béquilles et, traînant sa grosse patte, elle sortit.

La grand-mère la suivit :

— Tu sais comment on attrape un oiseau, je pense ? On met de la nourriture dans une cage et on laisse la porte ouverte. Quand l'oiseau a faim, il entre dans la cage et alors clac, on referme la porte ! Tiens ! Tu sais ce que c'est un chômeur qui n'a pas d'argent pour nourrir sa famille ? Eh bien ! c'est comme si tu lui disais : « Entre, mon ami ! Un festin est servi à l'intérieur ! » Le chômeur bien sûr se précipiterait avec sa femme, ses enfants... et toi, alors, tu claquerais la porte sur eux en disant : « C'est dans cette prison que vous finirez votre vie ! » Voilà ce que tu voudrais faire aux oiseaux : abuser de leur confiance !

Pour conclure, la grand-mère eut cette phrase terrible :

— EST-CE QUE TU TE RENDS COMPTE DE CE QU'ILS PENSERAIENT DE TOI ?

La température n'était pas en cause : Brigitte avait froid dans le dos. À l'école, elle s'efforçait de ne pas faire trop de fautes ; à la maison elle essayait de ne pas fâcher ses

parents (on veut dire : pas plus qu'une autre) et voilà qu'il arrivait aujourd'hui ce malheur inattendu : ELLE ALLAIT ÊTRE MAL JUGÉE DES OISEAUX.

Elle était effondrée.

Une idée pourtant l'obsédait : si la grand-mère ne voulait pas de cage chez elle, on ne voyait pas pourquoi elle en avait une ! À quoi servait-elle ?

Comme beaucoup de personnes qui ont la peau dure, la grand-mère avait l'oreille fine. Elle entendit la question.

Le soir, prenant sa petite-fille entre ses gros bras, elle lui dit :

— Écoute… Je ne voulais pas te parler de ces choses car tu es bien petite encore, et je ne suis pas sûre que tu puisses les comprendre…

Elle avait étalé sur la table quelques photos anciennes sur lesquelles on voyait en noir et blanc le même monsieur.

— C'est ton grand-père.

Elle raconta comment, lorsqu'elle s'était mariée, tous les deux avaient installé la cage dans laquelle ils élevaient des chardonnerets :

— Cela se faisait à l'époque parce que le chardonneret s'élève facilement. Il est agréable et il chante beaucoup, surtout quand on lui donne de la graine de chanvre. Nous étions heureux. Et puis il y a eu la guerre. Ton grand-père est parti soldat. Il a été fait prisonnier… avec beaucoup d'autres. Il est resté cinq ans dans un camp, en Allemagne. Quand il est revenu, il ne m'a rien dit mais un jour il a porté la cage dans la grange… où tu l'as vue. Depuis, elle y est toujours restée. Tu comprends ?

Brigitte croit comprendre. Elle n'est pas sûre. Elle demande :

— Vous n'en avez jamais parlé ?

— Non. Si… Un jour, je lui ai dit : « J'aimais bien entendre chanter les chardonnerets quand je leur donnais du chanvre. » Il m'a répondu : « Là-bas, un soir de Noël, on nous a autorisés à faire la fête. Nous avions réussi à nous procurer du champagne ; nous avons chanté toute la nuit. Mais le lendemain, nous étions toujours derrière les barbelés. »

Brigitte se serre contre la grand-mère.

Elle regarde les photos.

Elle fait une bise au monsieur qui est habillé en soldat.

Ce soir-là, la grand-mère a parlé longtemps. Du pigeon voyageur qui, lâché à Toulouse ou à Biarritz, est capable en une journée de revenir dans sa maison de Lille ou de Strasbourg. De l'hirondelle qui, au printemps, contre la poutre de la grange, cimente son nid avec la boue des chemins, le quitte en septembre pour aller passer l'hiver dans les pays chauds et le retrouve au printemps suivant pour y faire une nouvelle nichée. Elle a parlé du geai qui, voyant son nid découvert, casse ses œufs et s'en va loger ailleurs. Elle a parlé surtout du perdreau qui, mis en volière, au moment de la mue fonce et fonce et refonce contre son grillage jusqu'à s'en faire mourir.

Il était bien tard lorsque, béquilles en avant, Brigitte est montée dans sa chambre.

Avant de s'endormir, sur son cahier elle a écrit : « Avec Mamy, ce soir, nous étions en pleine saison des amours. »

Depuis deux jours, la neige s'en va.

C'est une amie qui me quitte, pense Brigitte.

Elle se dit qu'elle a, elle aussi, quitté sa maman.

Elle revoit ce matin d'hiver où, rentrant de l'école, elle avait coupé une branche d'aubépine recouverte de givre pour en faire un cadeau. Elle l'avait admirée tout le long du chemin. Et puis… lorsque, parvenue à la maison, elle l'avait offerte, elle avait lu sur le visage de sa maman une joie si triste que, tout de suite, elle avait compris l'étendue du drame : la chaleur de l'appartement allait détruire le splendide cadeau.

Brigitte n'a jamais oublié. Ni ses sanglots, ni sa maman qui, elle aussi, se tamponnait les yeux ; sans parler de la branche d'aubépine qu'on avait placée dans le lavabo où déjà elle versait des larmes de givre.

Il en est ainsi tout autour de la ferme : tous les arbres, tous les arbustes ruissellent. La haie de prunelliers est couverte d'une dentelle en pleurs. Quant au tilleul, il sanglote. Un moineau qui avait risqué ses pattes sous sa ramure reçoit sur la tête un flocon monumental. Il y a de quoi l'assommer. Mais non :

avec l'énergie d'un robot-minute, il s'ébroue. On le dirait électrique. Électrisé. Il ressemble aux dessins de B.D. : quand le boxeur, qui en a vu trente-six chandelles, cherche à retrouver ses esprits. Et voilà que, les ayant à peine retrouvés, une nouvelle avalanche le recouvre en entier. Cette fois, il va y rester ! Or, un coup à droite, un coup à gauche, tapant du bec et relevant la queue, il reparaît : plus dynamique que jamais ; il fait des BRRR comme papa sous la douche, se frotte les flancs puis, dès qu'il a fini ses ablutions, il ouvre ses ailes et s'envole en ayant l'air de penser : « Si c'est ça le printemps, il peut rester chez lui ! »

La dernière neige fondue, grand-mère enleva la planchette. Elle renferma dans des poches en plastique les graines qui lui restaient, serra le tout dans sa grande boîte en fer qu'elle rangea dans le vieux fromager.

Les oiseaux en étaient désorientés. Leurs « piou-piou » disaient : « Qu'est-ce qui se passe ? Le restaurant est fermé ? »

Avec ces gestes brusques qui avaient le don d'effrayer Brigitte, la grand-mère les chassait.

Le moineau, le rouge-gorge, le geai, toute la confrérie remontait à la charge :

— C'est l'heure du repas ! Nous attendons !

La grand-mère persistait :

— Voulez-vous vous en aller ! Il n'y a rien pour vous ! Allez ! Pschitt ! Que je ne vous revoie plus !

Et, pour montrer la fermeté de sa décision, elle les menaçait de son balai.

Une fois encore, Brigitte était anéantie. Elle se demandait comment cette Mamy-grain-de-blé pouvait devenir cette grand-mère barbare.

La grand-mère expliqua :

— Sous la neige, ils ne peuvent pas trouver leur nourriture. Je leur en ai donné, c'est bien ; mais maintenant qu'il fait beau, si je les habituais à trouver ici leur manger, j'en ferais des fainéants et même des infirmes : ils ne feraient plus jamais d'efforts pour le chercher ailleurs et bientôt ils ne SAURAIENT plus, ils ne POURRAIENT plus le trouver.

— Qu'est-ce que ça peut faire puisque toi, tu le leur donnerais ? demanda Brigitte.

— Je le leur donnerais… si j'étais là, répondit la grand-mère mais… je peux m'absenter… ou être malade…

Une idée traversa son esprit :

— Tiens ! Si tous les jours je nourrissais les oiseaux, pour eux ce serait comme s'ils étaient en cage : dans ce cas, ils seraient prisonniers des barreaux, dans l'autre, ils seraient prisonniers de moi : de mon bon vouloir.

« C'est surtout toi qui serais prisonnière d'eux et de leur faim ! » pensa Brigitte qui ne voulait rien entendre : que, dans une cage, un chardonneret soit malheureux, elle l'avait admis ; mais le moineau qui passe sa journée à jouer dans les bosquets avec ses copains et rentre à la maison seulement pour prendre ses repas ne lui semblait pas à plaindre.

Le soir pourtant, au coin de la cheminée, elle écouta longuement sa Mamy et y prit comme toujours beaucoup de plaisir. Même si ce qu'elle découvrait lui causait une grande déception : l'hirondelle élégante mange des moucherons qui ne lui ont rien fait ; la douce mésange avale les superbes papillons de nuit ; la belle fauvette se régale de sauterelles…

Elle se disait qu'en rentrant à la maison, elle apprendrait tout ça à ses parents et que, à l'école, elle allait épater ses copains. Antoine Couderc surtout et le grand Zague.

Aussi, montée dans sa chambre, elle écrivit sur son cahier ce qui lui paraissait être la révélation la plus intéressante de la soirée : « Le rouge-gorge est comme le taureau (en plus petit) : quand il voit du rouge, il se lance dessus sans réfléchir. S'il aperçoit son plastron dans une vitre de la fenêtre, il se fait peur, il fonce et il casse le carreau. Après, comme il ne voit plus rien, il se demande pourquoi il a fait ça. Il est complètement abruti. »

— Vraiment, tu ne veux pas venir au village avec moi ?

— Non. Non. Je préfère rester.

La grand-mère est un peu surprise. D'ordinaire, Brigitte veut toujours l'accompagner à l'épicerie où, devant sa caisse, Mme Lartigue a eu soin de placer un bocal de Carambars.

— Il fait beau pourtant…

— Oui mais… j'ai mal à la jambe.

La grand-mère se dit que, après tout, elle ira plus vite sans cette traîneuse de patte :

— Bon. Je vais me dépêcher. Ne fais pas de bêtises.

Brigitte promet.

D'ailleurs, fille ou garçon, on n'a jamais entendu un enfant auquel ses parents disent : « Ne fais pas de bêtises » répondre : « Si. Si. Je vais en faire. »

La 2 CV s'en va dans le chemin. Avec son arrière qui saute, elle a l'air de dire au revoir.

Brigitte s'étire au soleil.

Elle aperçoit sur les premières branches du tilleul des points verts qu'elle n'avait pas remarqués. Elle s'approche et comprend : c'est la naissance des bourgeons. Bientôt, ce sera le printemps. On déplâtrera sa jambe. Il faudra repartir. Elle sera contente de retrouver ses parents. En ce moment, ils lui écrivent bien sûr. Elle leur répond. Mais ce n'est pas pareil. Peut-être s'ennuient-ils sans elle ?

Un « tchilp-tchilp » la tire de sa rêverie C'est un moineau qui, au bout d'une branche légère, fait de la balançoire. Elle le regarde. Il refait « tchilp-tchilp ». Elle veut s'approcher

Alors, de toutes ses plumes, le moineau fait « vrououououh » et s'en va.

Le silence ne dure pas :

— Tic ! Tic !

Brigitte se retourne : un rouge-gorge lui fait de petites révérences brusques et impatientes :

— Tic ! Tic !

Il a l'air de dire : « Tu ne me reconnais pas ? » Brigitte a envie de répondre : « Si. Si. Je te reconnais. Tu es le goinfre égoïste qui voulait empêcher les autres de manger ! »

— Tic ! Tic !

Il a toujours le même toupet et l'on ne doit pas se méprendre sur ses multiples courbettes : il ne baisse pas la tête pour dire bonjour mais pour pouvoir la relever. C'est là qu'il s'exprime.

— Tic ! Tic !

Cela signifie : « Et alors, ça vient, oui ? J'ai faim ! Qu'est-ce que tu attends pour servir la soupe ? »

Pour qu'il n'y ait aucun doute sur la traduction, il ne s'est pas approché de Brigitte comme elle le croyait au début : IL S'EST POSÉ EXACTEMENT À L'ENDROIT OÙ LA GRAND-MÈRE POSAIT LA PLANCHETTE.

Brigitte a compris : elle entre dans la maison.

Elle ne fait pas beaucoup de bruit lorsqu'elle est à l'intérieur, et aucun humain sans doute ne pourrait affirmer qu'il l'a entendue. Pourtant, ce qui se passe alors est tout à fait extraordinaire : lorsqu'elle ressort, tenant dans ses mains la boîte en fer, l'un sur une branche du tilleul, l'autre dans la haie de prunelliers, tous les oiseaux sont là, prêts pour le banquet. Le moineau est le plus proche : à terre, il marche à petits pas, tournique à droite et à gauche comme on le fait au restaurant en attendant que le serveur vous montre votre table. Quant au rouge-gorge, il est sûr d'avoir trouvé sa place, la meilleure : il est toujours à l'endroit où l'on posait la planchette.

Brigitte se dit qu'elle ne va pas recommencer l'installation. Avec ce soleil, il n'y a plus de raison : elle jette le blé et l'avoine, les graines de pommes et de melons, toutes les richesses sur le sol.

Aussitôt, les affamés se précipitent. Le moineau a seulement soin d'éviter que la marchandise ne lui tombe sur la tête. La mésange fonce directement sur le plus gros plat : un cerneau de noix qu'elle emporte

dans son bec avec décision, pour le mettre à l'abri, comme une voleuse. D'autres picorent à qui mieux mieux et ce pique-nique a le don de rendre furieux le rouge-gorge qui, arrivant bon dernier, essaie de chasser l'un, de chasser l'autre, envoyant des « tic-tic-tic » en rafales qui clament son indignation : « Celle-là, elle est bonne : je demande et ce sont les autres qui sont servis ! »

Le moteur de la 2 CV se reconnaît entre mille. Lorsque Brigitte perçoit son retour dans le lointain, elle entre vite dans la maison et, prenant Pilou sur ses genoux, se met à lire *Le Petit Prince*.

Mais elle n'est pas tranquille : dehors, sans discrétion aucune, les convives poursuivent leur fête. Certains même chantent au dessert ou, de loin, invitent les amis.

Brigitte se lève et tape au carreau en faisant « pschitt ! pschitt ! » pour les effrayer. C'est peine perdue : les becqueteurs donnent trois coups d'aile sans conviction, comme pour faire plaisir, et reviennent aussitôt à leurs agapes.

La 2 CV a plus de succès. Dès qu'elle entre dans la cour, elle disperse les festoyeurs. Pas pour longtemps : la grand-mère n'est pas descendue de voiture que chacun a repris sa place au banquet. Avec autant de gaieté. On peut même se demander si, dans les piaillements de tous, il n'y a pas, au passage de la grand-mère, un peu d'ironie, quelque chose comme : « Alors, Mémère, tu voulais nous priver ? Tu vois : on se débrouille sans toi ! »

C'est pourquoi, à l'intérieur de la maison, Brigitte plonge de plus en plus la tête dans son livre. Elle pense : « Les imbéciles ! Ils vont nous faire pincer ! »

Or, en rentrant, la grand-mère dit seulement :

— Tu es sage, ma chérie ! C'est bien… Tu as regardé dehors ? On voit que la neige est fondue : il y a par terre toutes les graines

qui étaient tombées de la planchette. Les oiseaux en profitent, je t'assure ! Ils sont tous là.

Brigitte se sent devenir écarlate. Si elle osait, elle mettrait *Le Petit Prince* sur son nez. Pour qu'on ne la voie plus.

La grand-mère lui tapote la joue :

— Il ne faut pas rester si près du feu. Tu es toute brûlante. Tu vas attraper mal.

Brigitte explique d'une voix minuscule que sa rougeur vient du livre : elle en est au moment où le renard demande au Petit Prince de l'apprivoiser. Ainsi, au lieu d'être un renard et un petit garçon semblables à des millions d'autres, ils seront deux amis se soutenant l'un l'autre.

La grand-mère approuve :

— Il n'y a rien de plus beau que l'amitié.

Puis, après avoir déballé ses provisions, elle ajoute :

— Malheureusement, quand on rend service aux amis, il n'est pas rare qu'ils vous trahissent.

Dehors, les oiseaux poursuivent leurs jacasseries. Les « tic-tic-tic » se mêlent aux « tchilp ! tchilp », aux « kip ! kip ! », aux

« yup ! yup ! », quand ça n'est pas aux « ouais ! ouais ! » satisfaits du geai. C'est tout juste s'ils ne disent pas : « On bouffe des graines ! C'est Brigitte qui nous les a données ! »

S'ils s'étaient arrêtés là, l'affaire n'aurait pas été trop grave. Malheureusement, à dater de ce jour, dès que Brigitte sortait de la maison elle avait droit à un concert : « Tic-tic ! Nous sommes là ! », « Yup ! Yup ! À quelle heure le premier service ? ».

Brigitte était très gênée. Lorsque la grand-mère la suivait, pour donner le change, elle tapait dans ses mains :

— Voulez-vous vous en aller ! Il fait beau maintenant ! Vous devez vous débrouiller tout seuls ! Mamy vous l'a dit !

Il y avait dans la troupe des personnages raisonnables. Le merle par exemple : dans son habit noir, il semblait approuver cette sagesse et se tenait un peu à l'écart ; le geai râlait de loin : « Ouais ! Ouais ! Je le savais ! Ouais ! Ouais ! On ne veut jamais nous aider ! Ouais ! Ouais ! » ; la mésange, la plus vorace peut-être, préférait faire elle-même ses provisions plutôt que de perdre son temps au Resto du cœur.

Le moineau montrait moins de dignité. Quand Brigitte lui demandait de déguerpir, on aurait dit qu'il clignait de l'œil : « On te connaît ! Tu dis ça pour rire ! » Quant au rouge-gorge, dès que Brigitte pointait ses béquilles dans la cour, il était déjà en piste. Il la suivait partout, réclamait sans cesse. Or, la persévérance ouvre les chemins de la réussite : Brigitte l'adopta. Elle lui donna un nom : Fiérot. Elle lui parlait. Elle avait toujours dans ses poches quelques graines dérobées à son intention dans la boîte en fer. Pour les lui donner en cachette, elle prit l'habitude d'aller derrière la grange. Il y avait, à l'abri des regards, une pierre de bornage, pas très haute, plate : on l'eût dite placée là pour servir de table aux oiseaux.

Brigitte y disposait le repas puis, à la manière des bons serviteurs, elle s'éloignait un peu. Aussitôt, Fiérot fonçait sur l'objectif.

Il se régalait. Sans oublier pour autant d'assurer le service d'ordre ; si d'aventure un pique-assiette voulait s'inviter, il ne prenait même pas la peine de le regarder : plus petit ou plus grand, il lui volait dans les plumes ! Un vrai loubard ! Mais... si joli quand, bien repu, il dévissait son cou sur le côté et, le plumage brun de sa tête dans le plumage rouge de sa poitrine, le bec à l'envers, il la prenait à témoin : « On est copains tous les deux, pas vrai ? »

Ils l'étaient en effet... jusqu'à un certain point : dès que Brigitte s'approchait de la table, dès que de loin même elle tendait la main vers lui, il s'envolait. Quitte à revenir trois secondes plus tard. Un petit voyage en froufrou-éclair pour signifier : « Tu nourris mon ventre, mais je garde ma tête à moi. »

Cela attristait Brigitte.

Or, un soir, la grand-mère lui demanda :

— Est-ce que tu te rappelles le rat sur l'arbre quand il y avait de la neige ?

Comment Brigitte aurait-elle oublié !

La grand-mère dit :

— Il aurait fait son repas de la mésange, crois-moi... Et la buse qui tourne si souvent au-dessus de la maison guette la défaillance

d'un plus petit qu'elle : un geai et même un lièvre ou un hibou ne lui feraient pas peur. Quant au renard, dont tu as admiré les pas réguliers, ça n'est pas un festin qu'il fait quand il en a l'occasion : c'est un carnage.

La grand-mère savait expliquer les choses :

— Si tu protèges l'oiseau, tu détruis son instinct. Non seulement il ne saura plus chasser, mais il ne saura plus se défendre contre les chasseurs.

Regardant sa petite-fille dans les yeux, elle conclut :

— Voilà ce que tu ferais si tu donnais à manger aux oiseaux pendant la belle saison.

Brigitte, cette nuit-là, dormit très mal Des vautours immenses s'abattaient sur ses rêves et emportaient cent rouges-gorges dans leurs serres.

C'est pourquoi, les jours suivants, voyan que Fiérot ne se laissait pas attraper, elle se répétait : il n'a pas perdu son instinct. Cela lui donnait confiance. Elle se faisait même une promesse : « Si un jour il devient moins peureux, je ne lui donnerai plus de grains. I sera obligé de se débrouiller tout seul et l'ins tinct lui reviendra puisqu'il ne l'aura pas quitté depuis longtemps. »

Mais il faudrait ne pas avoir de cœur pour refuser du blé à celui qu'on aime !

Brigitte essayait parfois. Le voyant attendre sur la pierre de bornage, elle passait sans s'arrêter.

Et vous ne savez pas ce que faisait Fiérot ? Il se fâchait ! Tout rouge :

— Tic-tic ! Et alors ? Tu ne m'as pas vu ? Tic-tic ! Je sais que tu le fais exprès ! Tic-tic ! C'est pas malin, tu sais ! Tic-tic-tic ! Hé ! Tic ! Ho ! Tic ! Hé ! Tic-tic !

Or, un jour que son amie semblait ainsi jouer à ses dépens, le rouge-gorge la fixa de ses grands yeux noirs, il bomba son torse comme le font les lutteurs de foire et, relevant la queue, tremblant de tous ses membres, il fonça sur elle comme, si souvent, elle l'avait vu faire sur ses copains. Elle fit un geste de la main pour se protéger, sentit contre ses doigts les plumes apeurées. Il s'écarta, fonça à nouveau sur son cou et alors elle comprit : elle portait un foulard rouge dont les deux pointes nouées sous son menton avaient le don de l'exaspérer.

La nuit, Brigitte écrivit sur son cahier : « J'aime un abruti. »

Et, à la ligne suivante : « Je me demande ce que ça veut dire. »

À cette heure-là, au moment où le soleil du matin commence à se glisser sous le volet, c'est à coup sûr la voiture du facteur.

Elle s'en va comme Brigitte descend de sa chambre.

La grand-mère tient une lettre à la main :

— C'est ta maman qui a écrit. Elle arrive dimanche pour te chercher. On va t'enlever ton plâtre.

En quelques mots, il y a la joie de retrouver ses deux jambes valides, celle plus grande de revoir sa maman et puis, dominant le tout, une angoisse épouvantable : « Sans moi, Fiérot ne va pas se débrouiller. » Depuis qu'elle est l'amie du rouge-gorge, c'est la première fois qu'elle y pense. Elle imagine Fiérot la cherchant partout, pestant, protestant, trépignant et l'attendant toujours pour finalement mourir de faim.

Elle murmure :

— Je veux rester ici.

La grand-mère caresse ses cheveux :

— Ça t'ennuie de quitter ta mamy ?

Brigitte est très mal à l'aise. Quitter sa mamy ? Elle n'y avait même pas pensé ! Et pourtant il est bien vrai qu'elle a découvert une mamy extraordinaire : une mamy qui connaît et qui fait beaucoup de belles choses. Quand, petite, elle passait ses vacances ici, elle ne s'en était jamais aperçue.

Elle finit par dire :

— Oui. Ça m'ennuie beaucoup.

La grand-mère la rassure.

— Ne t'inquiète pas. Je me débrouillerai. J'ai l'habitude : je suis un vieil oiseau.

À ce mot, Brigitte la serre très fort.

La grand-mère caresse toujours sa chevelure :

— Toi, tu es un oisillon. Un jour, il te faudra quitter ton nid. Ce jour-là, tu devras être prête. Pour être prête, il faut que tu ailles à l'école ; que tu t'instruises.

— Les oisillons ne vont pas à l'école !

— C'est vrai. Mais pour se nourrir, ils n'ont pas besoin d'écrire, de compter, de lire. Ils n'ont pas besoin de connaître l'électronique ou de parler d'autres langues. Ils ont la leur, elle leur suffit. Avec leur instinct qui les protège de tout.

Brigitte se lève d'un coup. Elle ne dit pas un mot et, aussi vite que le lui permettent ses béquilles, elle se rend derrière la grange.

Fiérot est là : sur la table. Avec sa perpétuelle apparence de râleur : « C'est à cette heure-là que tu arrives ? »

Brigitte veut lui annoncer la nouvelle. Cela l'impatiente. Ses « tic-tic » signifient : « Envoie la mangeaille. On causera après. »

Elle pose quelques graines sur la pierre.

— Alors, tu t'en fiches que je m'en aille ?... Qu'on ne se voie plus... ça t'est égal ?

Fiérot ne répond pas : il casse la graine.

— Comment vas-tu faire sans moi ?

Pour l'instant, entre deux plats, il fait un pas de danse. On dirait que lui aussi veut la rassurer : « Tic-tic ! T'inquiète pas pour le bonhomme ! Il a plus d'un tour dans sa plume ! » Mais elle comprend bien qu'il ne

sait rien faire. Elle l'a vu tous ces derniers jours : pendant que la mésange s'affaire, que les corbeaux signalent de leurs « couac-couac ! » un danger ou une proie, il est toujours là, sur la pierre ou sur le fil : il attend. À l'aise. Super-cool. C'est simple : quand il sifflote sur sa branche, son plastron en avant, on dirait qu'il a les mains dans les poches !

De toutes les histoires que la grand-mère a racontées, celle que Brigitte préfère, qu'elle aurait voulu vivre, celle qu'elle s'est fait répéter déjà plusieurs fois, c'est l'histoire du martinet.

Il était comme mort sur le chemin lorsque grand-mère l'avait ramassé. Or, comme grand-mère sait tout, elle savait bien que le martinet est comme une Brigitte à béquilles : il a de courtes pattes entre ses longues ailes. Aussi, lorsque blessé, il tombe au sol, il manque de points d'appui et ne peut plus repartir. La grand-mère n'avait pas hésité ; rassemblant toutes ses forces, elle avait lancé l'oiseau le plus haut possible et elle avait assisté à cette magie : retrouvant le ciel, le martinet avait ouvert ses ailes ; il était reparti vers la vie.

Maintenant, l'orage menace. Le lit est chaud. Les martinets font la ronde la plus rapide du monde. On manque d'air. Pas eux : ils font du deux cents à l'heure ! On transpire. Les hirondelles volent très bas. Dans leurs planés majestueux, elles gobent les moucherons, s'en réjouissent, exhibent leurs robes noires et blanches et soudain, comme le tonnerre enfle la voix, tout ce petit monde piaille, fuit en criant « Au secours ! ». Un faucon est arrivé à l'improviste. Il fonce dans le tas en zigzags imprévisibles puis, à son tour, il plane et, dans sa coulée élégante, on le voit scalper l'hirondelle qu'il a prise entre ses serres. Le canon tonne. L'avion arrive. Il percute le faucon qu'il emporte dans son réacteur. Il lâche une bombe. Dans un éclair, on voit le hibou qui guette le mulot ; le renard qui guette le hibou ; des moineaux pilotes de chasse, des pies mitrailleuses, des étourneaux téléguidés et cet imbécile de Fiérot qui, au milieu de l'hécatombe, fait des acrobaties dans le ciel !

Brigitte veut le sauver. Elle appelle :

— Fiérot !

Son cri déclenche dans sa gorge une grosse quinte de toux.

La grand-mère lui prend la main.

Le docteur dit : « Il faut faire tomber la fièvre. »

La maman se penche sur le lit, sourit, caresse le front brûlant de Brigitte qui est surprise de découvrir tout ce monde autour d'elle, heureuse elle aussi de voir sa maman et bien soulagée d'avoir échappé à son cauchemar, à cette tuerie dans le ciel qui, si elle avait continué, allait détruire toute la terre !

Grâce aux antibiotiques, la température fut vite vaincue.

Pourtant, Brigitte dut rester au lit. Avec sa maman à côté d'elle, sa grand-mère qui lui montait de grands bols de bouillon de légumes, Pilou qui venait s'allonger sur la couverture ; avec aussi une inquiétude terrible dans le cœur. On devine pour qui…

Elle se serait peut-être décidée à se confier à sa maman si un matin, alors qu'elle était seule, quelqu'un n'avait frappé au carreau. Or, il n'est pas habituel, lorsqu'on loge au premier étage, d'entendre frapper au carreau de la fenêtre.

Brigitte n'en croyait pas ses yeux ! Fiérot était là. Triste. Déplumé. Grelottant par ce temps de soleil, et n'ayant même plus la force de rouspéter !

Brigitte sortit du lit, ouvrit les deux battants. Fiérot, tant bien que mal, s'éclipsa. Pas loin : sur le toit qui, en pente douce, descendait sous la fenêtre pour couvrir la cuisine de ses tuiles canal. Une biscotte écrasée sur la pierre d'appui eut tôt fait de le rappeler. Pendant des minutes, il picora sans souffler, ne guettant plus les importuns comme il le faisait d'habitude, oubliant tous les dangers pour ne penser qu'à manger, prenant seulement la peine, lorsque son ventre fut archi plein, de regarder Brigitte en ayant l'air de dire : « C'est moins bon que d'habitude ! »

À ce petit rien, Brigitte comprit qu'il allait déjà mieux.

L'après-midi, le lendemain, il se promena sur l'avant-toit d'où il sautait sur la pierre. À nouveau prétentieux, malappris, il exigeait qu'on serve le déjeuner dès qu'il montrait sa serviette rouge autour du cou.

Le docteur vint. Il déclara Brigitte guérie. Puis, regardant la jambe blanche, il dit qu'il avait vu fréquemment des plâtres couverts de graffiti et de signatures ; mais c'était la première fois qu'il voyait un pansement transformé en volière : en long, en large et en travers, très lisibles ou fortement entremêlés, on lisait : ROUGE-GORGE, MOINEAU, FAUVETTE, HIRONDELLE, PINSON, GEAI, TOURTERELLE...

La volière fut découpée avec une petite scie. Lorsque le mollet apparut, on se demanda si le plâtre ne lui avait pas donné sa couleur...

Le docteur demanda à Brigitte de se lever. De ne pas faire d'efforts trop violents.

Il semblait à la convalescente que ses deux jambes n'avaient pas le même poids, que l'une d'elles allait s'envoler.

Soutenue par sa maman, s'appuyant sur le lit, elle parvint à se mettre debout.

Elle se retourna radieuse, entourée d'encouragements. Or, s'assombrissant d'un coup, elle poussa un grand cri de malheur. On crut que l'os s'était à nouveau brisé. Des mains se tendirent. Brigitte ne les voyait pas, ses yeux fascinés par ce spectacle effroyable : sur la pierre de la fenêtre, Pilou tenait Fiérot entre ses dents.

— Lâche, Pilou ! Lâche tout de suite !

Loin d'obéir, le chat regardait tout le monde avec un grand étonnement : il se demandait en vertu de quoi on lui donnait un ordre aussi ridicule.

Malgré sa jambe peu sûre, Brigitte se lança en avant. Le docteur se fâcha. La maman eut très peur et Pilou comprit qu'on voulait lui voler sa proie : conservant entre les dents l'oiseau qui lui faisait une deuxième moustache, il sauta sur les tuiles avec un TCHEUH ! furieux.

— Pilou ! Pilou ! Lâche Fiérot ! Pilou, reviens !

Le chat allait légèrement sur les dômes des tuiles. Lorsqu'il fut au bout, il s'élança sur l'appentis et il arriva au sol au moment où, alertée par les cris, la grand-mère sortait de la maison, tenant son balai à la main.

— Mamy ! Mamy, arrête-le ! Mamy fais-lui lâcher Fiérot !

Sachant qu'on n'attrape pas un chat qui n'en a pas envie, la grand-mère employa les grands moyens : elle jeta le balai sur le délinquant qui, libérant enfin sa proie, s'en fut sans demander son reste.

La grand-mère ramassa l'oiseau. Elle resta un moment à le contempler. Puis, elle leva la tête vers la fenêtre. Une tristesse infinie était dans ses yeux : la tristesse que nous éprouvons lorsque nous devons faire de la peine à ceux que nous aimons.

— Fiérot ! Fiérot, tu n'es pas mort, dis !... Fiérot, reviens !

La grand-mère, la maman, le docteur, tout le monde est dans la cour. Avec Brigitte qui, sur son bras, a mis le petit corps. Elle ne cesse de le caresser... Bientôt, elle s'aperçoit qu'elle a du sang sur sa main, qu'il y a du sang sur le rouge col de l'oiseau...

Sa maman la prend par les épaules. Brigitte cache son visage. On entend de gros sanglots : « Fiérot ! Mon Fiérot ! »

Soudain, elle se redresse. Une idée lui est venue :

— Mamy, lance-le... comme le martinet. Lance-le très haut : il va s'envoler !

Les yeux de la grand-mère sont encore plus tristes que tout à l'heure :

— Mais... ma chérie...

— Lance-le, Mamy ! L'air va le faire revivre lui aussi. Il ouvrira ses ailes !

Il y a tellement d'espoir dans les mots et le regard de sa petite-fille que la grand-mère ne veut pas la décevoir. Elle prend l'oiseau dans ses mains, s'approche du laurier géant, de cet endroit inextricable où un frêne mêle ses branches aux buis et aux lilas, aux vernis, aux aubépines, à la ronçaille.

Elle dit :

— Écoute, Brigitte, toutes les histoires que je t'ai racontées, tout ce que je t'ai dit sur les oiseaux est vrai. Aujourd'hui encore, je ne dois pas te mentir. Aussi, je te préviens : les rouges-gorges ne reviennent jamais dans une maison où un chat les a blessés. Alors... je vais lancer celui-ci mais... s'il s'envole, il s'en ira très loin : tu ne le reverras plus.

— Ça ne fait rien, Mamy, ça ne fait rien : il vivra, lui, c'est cela qui compte.

Brigitte pose un baiser sur le bec de son ami.

Alors, avec une adresse prodigieuse, de son bras fort, la grand-mère lance Fiérot. On le voit monter le long du laurier, puis il fait un arc de cercle au-dessus de l'arbre ; on peut croire qu'il va retomber mais il disparaît à tous les regards et l'on entend un FROU-FROU-FROUT important qui, sur-le-champ, fait triompher la grand-mère :

— Ce sont les ailes qui se sont ouvertes !

Avec joie, elle secoue sa petite-fille :

— Tu as entendu ses ailes qui s'ouvraient ? Tu les as entendues ?

Brigitte a un petit « oui » timide.

Vivement, la grand-mère l'entraîne hors de l'ombre. Elle désigne un point dans le ciel :

— Ah ! Le voilà !... Tu le vois, ma chérie ?

Brigitte a le soleil dans les yeux. Elle ne voit rien.

La maman dit :

— Je le vois !

Elle tend son bras :

— Ici, regarde !

Brigitte met sa main sur son front, comme une visière. Ses yeux cherchent avec avidité et alors, à son tour, le docteur tend son doigt vers le ciel :

— Mais oui, Brigitte ! Je le vois ! Je le vois, moi aussi !

Et c'est vrai : il y a un oiseau dans le ciel ! Un oiseau qui n'est qu'un point noir parmi les mille points noirs et argentés que le soleil fait naître dans les yeux. Celui-là, c'est Fiérot, Brigitte en est sûre. Elle le voit et elle l'entend. Son tic-tic minuscule dit : « Adieu, mes amis, je suis sauvé ! »

Le geai confirme : « Ouais ! Ouais ! Il est sauvé ! Ouais ! Ouais ! »

Le point noir se perd et reparaît dans les lueurs du ciel, les étoiles de jour. Brigitte a, dans les yeux, des larmes de soleil. « Tchilp-tchilp ! », « kip-kip ! », « yup-yup ! » dit un concert qui vient des arbres et des buissons, de la poutre de la grange où s'installe la première hirondelle.

Brigitte embrasse sa maman. Cette fois, Fiérot est sauvé, elle en est sûre : quand il est passé au-dessus des chênes, un oiseau lui a fait : « Coucou ! Coucou ! »

Fiérot n'a pas répondu. Il va droit devant lui. Gaiement. Comme Brigitte qui, désormais, marchera sans béquilles.

Si tu as aimé cette histoire,
découvre un extrait de

Une grand-mère en chocolat

du même auteur

Tourne vite la page !

[...]

La voiture s'arrête devant l'immeuble. Tout de suite, on sent l'imprévu. La mère Flèche est à sa fenêtre. Montrant son plus beau sourire. Celui qui veut dire : « Vous allez voir la catastrophe qui vous attend ! »

Elle lance, rayonnante :

— Vous avez tous des mines superbes !

Ça signifie : « Dans un instant, vous n'aurez plus envie de rire. »

Papy, lui aussi, met le nez dehors. Le voyant, Pascal fonce dans l'escalier. Chloé, dépiautant sa banane, fait de son mieux pour le suivre.

Papa monte trois valises à la fois. Maman râle parce que les gosses n'ont rien pris, pas même leur filet à crevettes. Elle trimballe le sac de survêtements, les souliers, les bottes, un paquet de K-way, sans oublier Isidore qui, maintenant fourré dans son panier, miaule qu'il connaît la maison et qu'il aurait très bien pu monter tout seul.

Papy est tout bonheur, il fait sauter Pascal à bout de bras, se rappelle que Chloé craint les chatouilles, embrasse le quatuor et, avant qu'on ait pu ouvrir la bouche, annonce, radieux :

— Mes enfants, je vous ai ramené un souvenir des îles !

— C'est quoi ?

— C'est quoi ?

— C'est quoi ?

Papy fait durer le suspense puis, les yeux aussi joyeux que la voix, il lance :

— Je vais vous présenter ma femme.

Un éclat de rire lui répond. On sait bien que, depuis longtemps, papy n'a plus de femme. Seulement, il insiste. Et même, sa figure épanouie n'empêche pas l'air sincère :

— Ma femme s'appelle Carlota.

L'éclat de rire se transforme en vent de panique. Chez maman surtout :

— Papa !... Tu ne vas pas me dire que tu t'es marié !

— Je peux te le dire puisque c'est vrai.

Du doigt, il désigne la porte de la chambre :

— La preuve !

Ah, mes amis ! Pour une preuve, c'est une preuve ! Pour un souvenir des îles, c'est un souvenir des îles. Une dame antillaise s'avance timidement, vêtue d'une robe verte à grandes fleurs rouges qui, bien qu'elle soit très vaste, parvient à peine à couvrir une poitrine de nourrice, des hanches de catcheur, des mollets prêts pour le Tour de France cycliste. Avant de plonger dans de grands souliers plats, ces jambes noires montrent des rides comme la figure et ces rides sont grises comme les cheveux.

Le mutisme est général. Le grand-père est dans l'enchantement :

— Voici mamy Carlota !

— Mamy Çocolat ! lance Chloé qui est la seule à battre des mains…

Composition : Francisco *Compo*
61290 Longny-au-Perche

Impression réalisée sur Presse Offset par

BRODARD & TAUPIN

GROUPE CPI

La Flèche (Sarthe), le 04-03-2004
N° d'impression : 22177

Dépôt légal : septembre 1996
Dépôt légal de la nouvelle édition : 2004

Imprimé en France

12, avenue d'Italie • 75627 PARIS Cedex 13

Tél. : 01.44.16.05.00

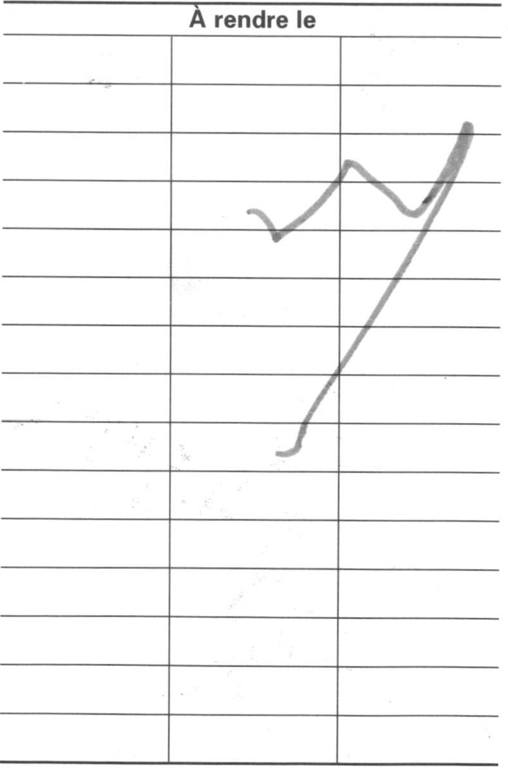